초등 수  완성

교과특강

7세~초1

P2

방향과 순서

사고력
문제해결력

측정 · 규칙성
자료와 가능성

에듀★히어로
─ Edu HERO ─

"진짜 히어로는 우리 아이들입니다!"

에듀히어로는
우리 아이들이 밝고 건강한 내일을 꿈꿀 수 있도록
긍정적이고 효과적인 교육 서비스를 제공하는 것을
최우선 목표로 하고 있습니다.

그 존재만으로도 든든한 히어로처럼 아이들의 곁에서 힘이 되어주고,
나아가 아이들 각자가 스스로의 인생 속 히어로가 될 수 있도록

우리는 진심과 열정을 다해 아이들과 함께 할 것을 약속 드립니다.

☕ 네이버 카페

교재 상세 소개와 진단 테스트
및 유용하게 풀 수 있는
학습 자료를 다운로드 해 보세요.

📷 인스타그램

에듀히어로 인스타그램을
팔로우하시면 다양한 이벤트와
신간 소식을 빠르게 만나보실
수 있습니다.

TALK 카카오톡 채널

자녀 수학 공부 상담 및
자유로운 질문을 남겨 주세요.
함께 고민하고
답변해 드리겠습니다.

히어로컨텐츠 HEROCONTENS

발행일: 2022년 12월 **발행인:** 이예찬

기획개발: 두줄수학연구소

디자인: 4BD STUDIO **삽화:** 1000DAY

발행처: 히어로컨텐츠

주소: 서울특별시 금천구 서부샛길 632, 7층(대륭테크노타운5차)

전화: 02-862-2220 **팩스:** 02-862-2227

지원카페: cafe.naver.com/eduherocafe **인스타그램:** @edu_hero **카카오톡:** 에듀히어로

초등 수학 핵심파트 집중 완성 교과특강

수학을 잘 하기 위해서는 1) 수와 연산 2) 도형 3) 측정 4) 규칙성 5) 자료와 가능성 등 초등 수학 5대 학습 영역을 고르게 학습해야 합니다.

다른 교과 과목에 비해 많은 시간을 수학을 학습하는 데 할애하고 있지만 아쉽게도 대부분은 연산 영역에 편중되어 있습니다.

최근 들어 '도형' 등 연산 이외의 다른 영역으로 학습을 확장하는 교재들이 출간되고 있지만 여전히 학년별로 다양한 학습 영역과 필수 주제를 체계적으로 안내해 주는 학습지는 많지 않은 것이 현실입니다.

그런 이유로 교과특강은 학년별 필수 주제를 기본 개념부터 응용, 사고력까지 충분하게 학습하고 훈련할 수 있도록 개발되었습니다

수학을 잘 하고 싶은 학생들에게 노력한 만큼의 성장을 이루어내는 데 교과특강은 좋은 토양과 밑거름이 되어줄 것입니다.

초등 수학 핵심파트 집중 완성 교과특강은

1. '자료 해석 능력'을 집중적으로 키웁니다.

앞으로의 학습은 주어진 표와 그래프를 보고 그 의미를 해석하고 추론하는 '자료 해석 능력'을 요구합니다. 실제로 초등 전학년 뿐만 아니라 중등 과정에서도 '자료 해석'은 학습자의 문제해결력을 확인하는 중요한 소재가 되고 있습니다. 다양한 표와 그래프를 이해하고 해석하는 학습은 초등 과정부터 미리 준비하고 집중적으로 훈련할 필요가 있습니다.

2. '측정', '규칙성' 등 필수 영역임에도 쉽게 지나칠 수 있는 주제를 체계적으로 학습합니다.

길이, 무게, 시간, 어림하기 등 초등 과정에서 쉽게 지나치기 쉬운 '측정'과 추론 능력을 길러주는 '규칙성'을 집중적으로 학습합니다.

3. 복습과 예습으로 학년과 학년 사이의 징검다리 역할을 합니다.

1학년에서 2학년, 2학년에서 3학년, 3학년에서 4학년 등 학년이 올라길수록 특징 영역에서 수학이 갑자기 어려워지는 순간이 옵니다. 교과특강은 각 학년에서 반드시 짚고 넘어가야 하는 주제를 복습하면서 다음 학년을 위한 예습까지 할 수 있도록 개발되었습니다.

4. 문제해결력과 사고력을 길러줍니다.

기본적인 개념을 바탕으로 이를 응용하고 활용하는 문제해결력과 생각하는 힘을 길러줍니다.

초등 수학 핵심파트 집중 완성 **교과특강**은

7세부터 6학년까지 총 7단계 21권(단계별 3권)으로 구성되어 있으며 각 권은 하루에 1장씩 주 5회, 총 4주간 체계적으로 학습할 수 있습니다.

매주 5일차의 학습이 끝난 뒤엔 '생각더하기'를 통해 창의력과 사고력을 기르고, 4주의 학습이 끝난 뒤엔 '링크'와 '형성평가'로 관련 주제를 학습하고 교과 수학을 완성할 수 있습니다.

대 상	단 계	구 성
7세 ~ 1학년	P	P1, P2, P3
1학년	A	A1, A2, A3
2학년	B	B1, B2, B3
3학년	C	C1, C2, C3
4학년	D	D1, D2, D3
5학년	E	E1, E2, E3
6학년	F	F1, F2, F3

〈교과 수학 시리즈 P단계 로드맵〉

에듀히어로의 교과 수학 시리즈를 체계적으로 학습하기 위한 로드맵입니다.

예습을 하며 집중적으로 학습하려면 '영역별 집중 학습'을,

교과서 진도에 맞추어 학습하려면 '교과 진도 맞춤 학습'을 권장드립니다.

[영역별 집중 학습]

1월	2월	3월	4월	5월	6월
교과연산 P0 / 교과도형 P1	교과연산 / 교과도형 P2	교과연산 / 교과도형 P3	교과연산 P3	교과특강 P1	교과특강 P2

[교과 진도 맞춤 학습]

1월	2월	3월	4월	5월	6월	7월	8월	9월	10월
교과연산 P0	교과도형 P1	교과연산	교과도형 P1	교과연산	교과도형 P2	교과연산 P3	교과특강 P1	교과특강 P2	교과특강 P3

교과특강은 교과 수학을 완성합니다.

주제별 학습

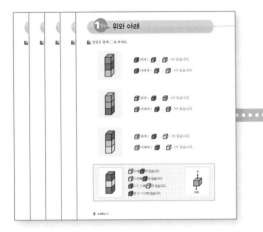

생각더하기

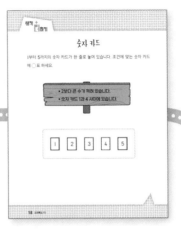

초등 수학을 주제별로 집중 학습합니다. 각 주차의 마지막에 있는 **생각더하기**로 문제해결력을 기릅니다.

링크

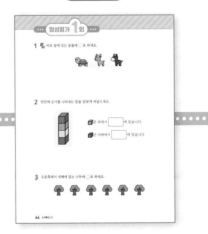

주제별 학습과 연결하여 사고력과 창의력을 향상시킬 수 있는 내용을 학습합니다.

형성평가

2회의 형성평가로 배운 내용을 잘 알고 있는지 확인합니다.

이 책의 차례

1주차

방향

알맞은 말에 ◯표 하세요.

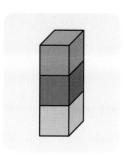

■ 위에 (◻ , ◻)이 있습니다.

■ 아래에 (◻ , ◻)이 있습니다.

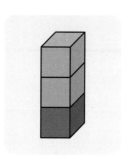

◻ 위에 (◼ , ◻)이 있습니다.

◻ 아래에 (◼ , ◻)이 있습니다.

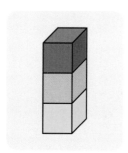

◻ 위에 (◼ , ◻)이 있습니다.

◻ 아래에 (◼ , ◻)이 있습니다.

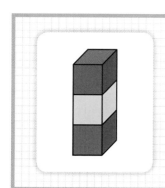

◻ 위에 ◼ 이 있습니다.

◻ 아래에 ◼ 이 있습니다.

◼ 바로 위에 ◻ 이 있습니다.

◻ 은 맨 아래에 있습니다.

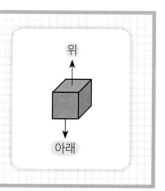

위

아래

■ 알맞게 이어 보세요.

맨 위 •

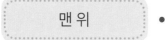 바로 아래 •

•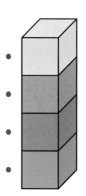

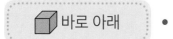 바로 위 •

맨 아래 •

•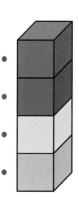

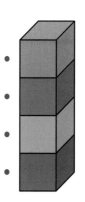 바로 아래 •

맨 위 •

•

2일차 앞과 뒤

알맞은 말에 ◯표 하세요.

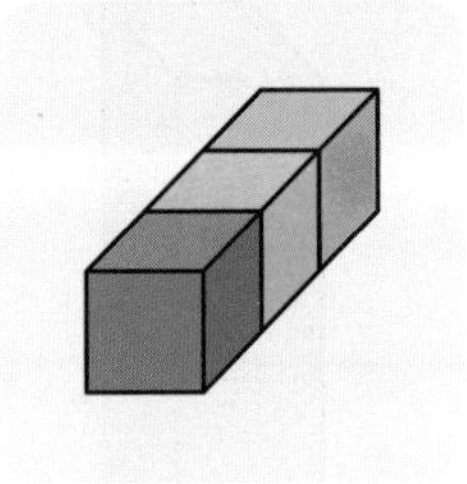

앞에 (,)이 있습니다.

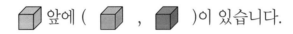

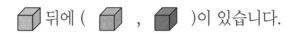

뒤에 (,)이 있습니다.

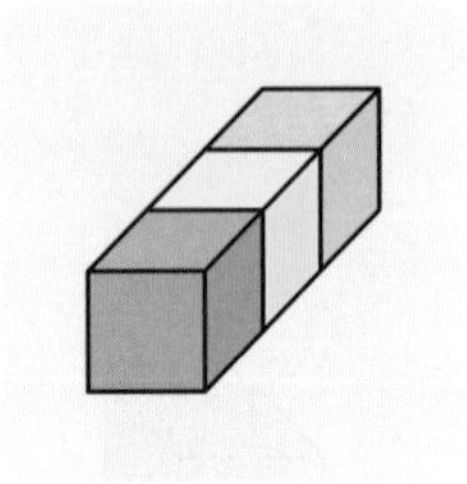

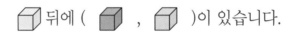

앞에 (,)이 있습니다.

뒤에 (,)이 있습니다.

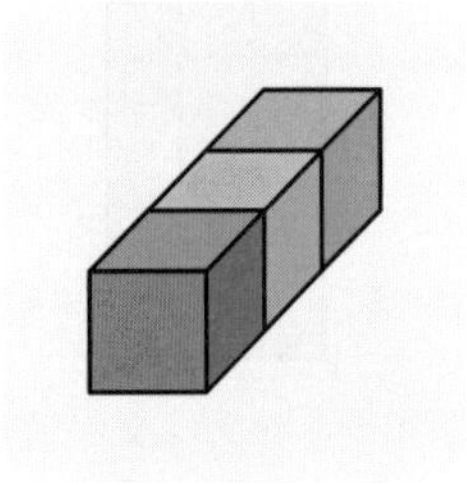

앞에 (,)이 있습니다.

뒤에 (,)이 있습니다.

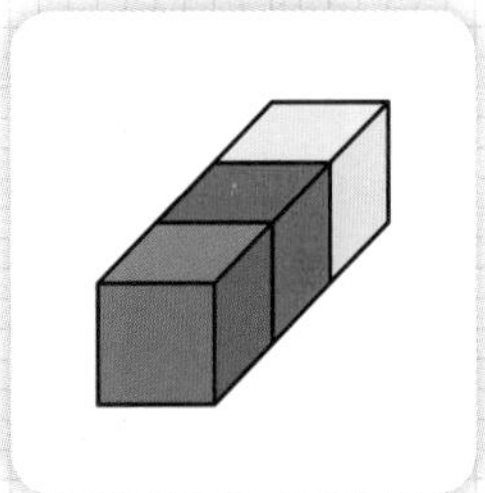

앞에 이 있습니다.

뒤에 이 있습니다.

바로 앞에 이 있습니다.

은 맨 뒤에 있습니다.

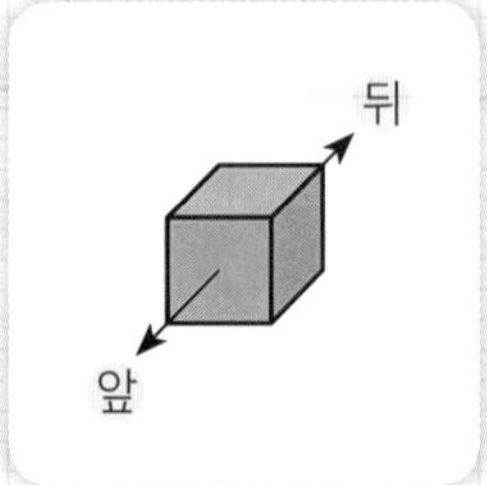

알맞은 의 번호를 써 보세요.

| 맨 앞 |  바로 앞 | 바로 앞 |

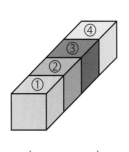

( )

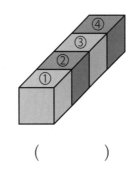

( )

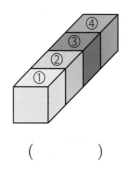

( )

| 맨 뒤 | 바로 뒤 | 바로 뒤 |

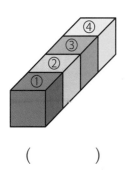

( )

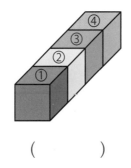

( )

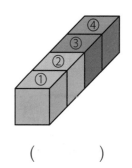

( )

알맞은 말에 ◯표 하세요.

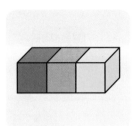

◻ 왼쪽에 (◻ , ◼)이 있습니다.

◻ 오른쪽에 (◻ , ◼)이 있습니다.

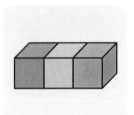

◻ 왼쪽에 (◻ , ◻)이 있습니다.

◻ 오른쪽에 (◻ , ◻)이 있습니다.

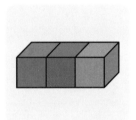

◼ 왼쪽에 (◼ , ◻)이 있습니다.

◻ 오른쪽에 (◼ , ◻)이 있습니다.

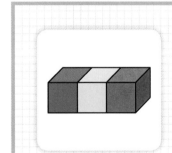

◻ 왼쪽에 ◼이 있습니다.

◻ 오른쪽에 ◼이 있습니다.

◼ 바로 왼쪽에 ◻이 있습니다.

◼은 맨 오른쪽에 있습니다.

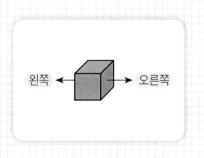

왼쪽 ⟵ ⟶ 오른쪽

■ 알맞게 이어 보세요.

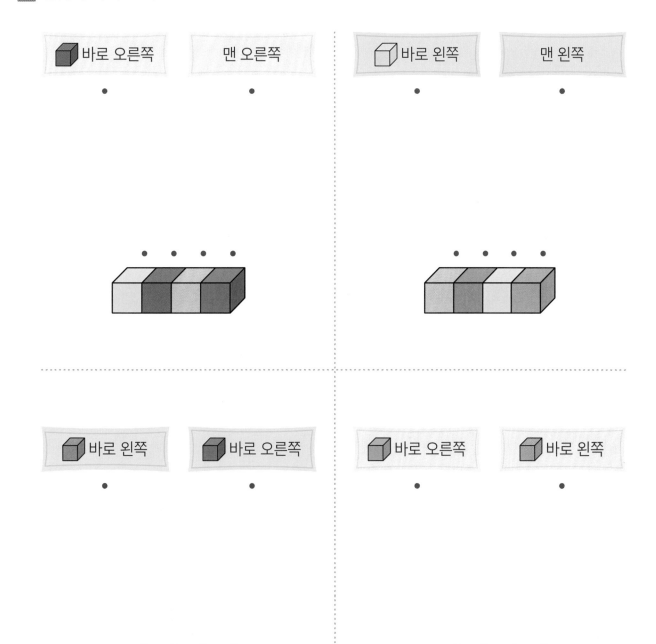

알맞은 말에 ◯표 하세요.

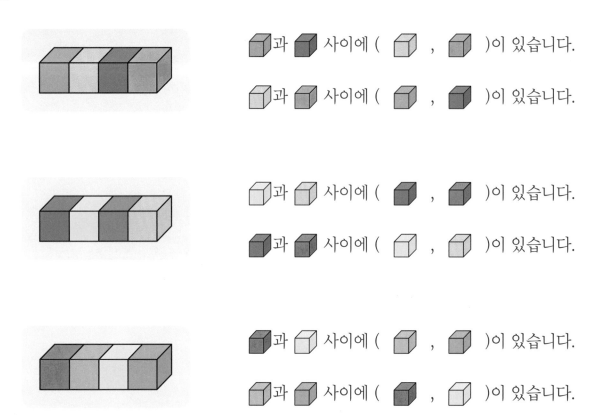

과 사이에 (,)이 있습니다.

과 사이에 (,)이 있습니다.

과 사이에 (,)이 있습니다.

과 사이에 (,)이 있습니다.

과 사이에 (,)이 있습니다.

과 사이에 (,)이 있습니다.

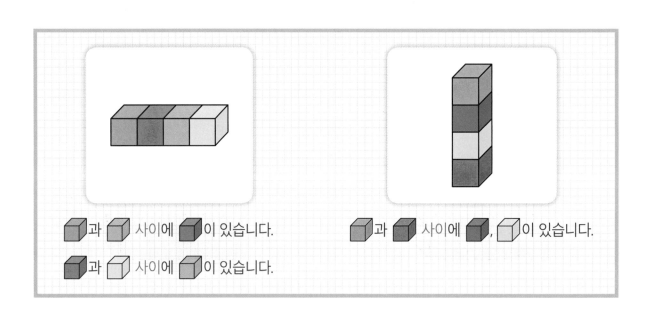

과 사이에 이 있습니다.

과 사이에 이 있습니다.

과 사이에 , 이 있습니다.

■ 알맞은 에 모두 ◯표 하세요.

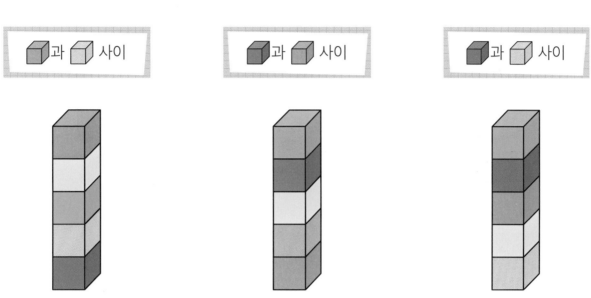

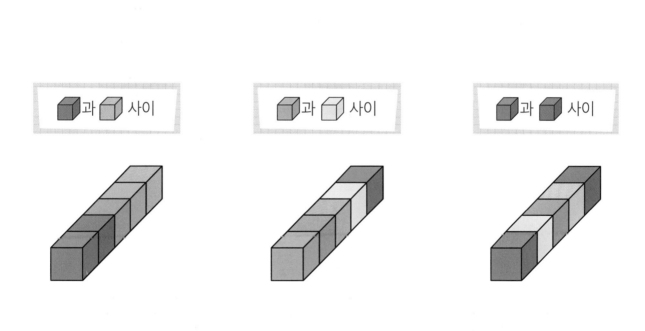

여러 가지 방향

■ 설명에 맞는 모양에 ◯표 하세요.

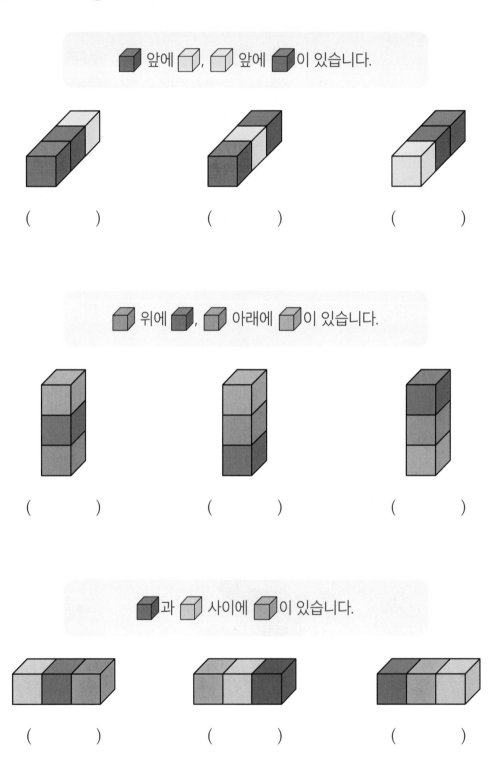

■ 설명에 맞게 알맞은 색깔로 색칠해 보세요.

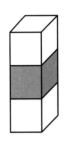

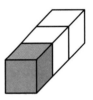

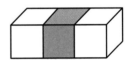

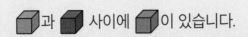

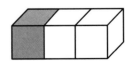

숫자 카드

1부터 5까지의 숫자 카드가 한 줄로 놓여 있습니다. 조건에 맞는 숫자 카드에 ○표 하세요.

- 2보다 큰 수가 적혀 있습니다.
- 숫자 카드 1과 4 사이에 있습니다.

| 1 | 2 | 3 | 4 | 5 |

2 주차 방향과 이동

위와 아래

■ ●을 주어진 방향과 칸 수만큼 이동한 칸에 ◯표 하세요.

위로 2칸	아래로 1칸	위로 3칸
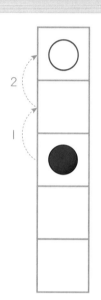		

아래로 4칸	위로 1칸	아래로 2칸
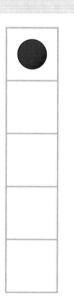	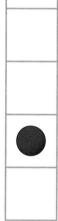	

●을 도착 칸으로 옮기려고 합니다. 빈칸에 알맞은 수 또는 말을 써넣으세요.

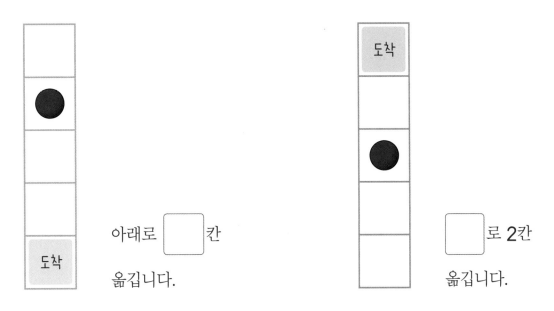

아래로 [ ]칸

옮깁니다.

[ ]로 2칸

옮깁니다.

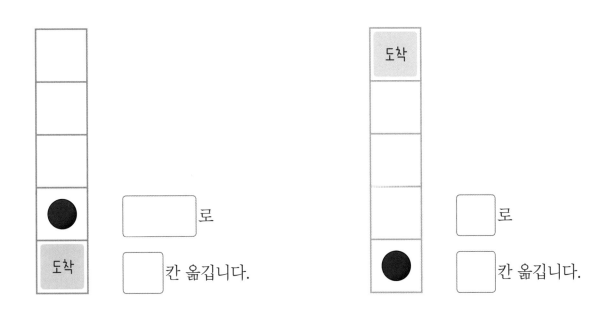

[ ]로

[ ]칸 옮깁니다.

[ ]로

[ ]칸 옮깁니다.

왼쪽과 오른쪽

●을 주어진 방향과 칸 수만큼 이동한 칸에 ○표 하세요.

| 왼쪽으로 2칸 |
| 오른쪽으로 1칸 |
| 왼쪽으로 4칸 |
| 오른쪽으로 2칸 |
| 왼쪽으로 3칸 |

●을 도착 칸으로 옮기려고 합니다. 빈칸에 알맞은 수 또는 말을 써넣으세요.

			●				도착

오른쪽으로 ☐ 칸 옮깁니다.

도착			●				

☐ 으로 3칸 옮깁니다.

					●		도착

☐ 으로 ☐ 칸 옮깁니다.

도착				●			

☐ 으로 ☐ 칸 옮깁니다.

출발 칸에서 주어진 방향과 칸 수만큼 순서대로 이동한 칸에 ◯표 하세요.

위로 2칸, 아래로 1칸

아래로 1칸, 위로 3칸

위로 3칸, 아래로 2칸

아래로 2칸, 위로 3칸

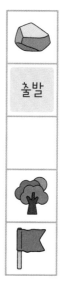

■ 출발 칸에서 주어진 방향과 칸 수만큼 순서대로 이동한 칸에 ○표 하세요.

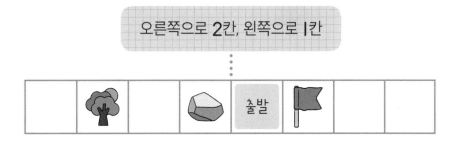

■ 출발 칸에서 주어진 방향과 칸 수만큼 순서대로 이동한 칸에 ◯표 하세요.

아래로 2칸, 오른쪽으로 1칸

왼쪽으로 3칸, 위로 2칸

위로 1칸, 오른쪽으로 3칸

아래로 2칸, 왼쪽으로 2칸

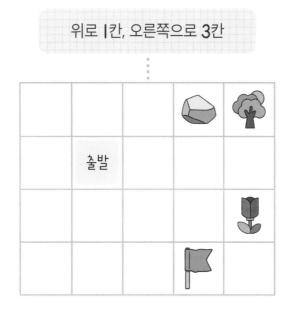

■ 출발 칸에서 🌳가 있는 칸으로 가려고 합니다. 알맞은 말에 ◯표 하세요.

(위 , 아래)로 **3**칸,

오른쪽으로 (**2** , **3**)칸 갑니다.

(왼쪽 , 오른쪽)으로 **3**칸,

위로 (**1** , **2**)칸 갑니다.

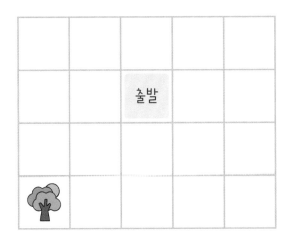

(왼쪽 , 오른쪽)으로 (**1** , **2**)칸,

(위 , 아래)로 (**2** , **3**)칸 갑니다.

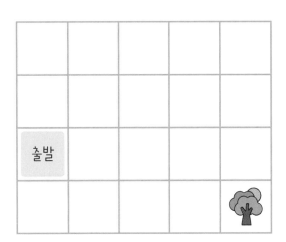

(왼쪽 , 오른쪽)으로 (**3** , **4**)칸,

(위 , 아래)로 (**1** , **2**)칸 갑니다.

●에서 출발하여 주어진 방향과 칸 수만큼 선을 긋고 도착한 곳에 ●표 하세요.

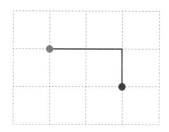

① 오른쪽으로 2칸

② 아래로 1칸

① 위로 3칸

② 왼쪽으로 1칸

① 아래로 1칸

② 왼쪽으로 3칸

① 오른쪽으로 2칸

② 위로 2칸

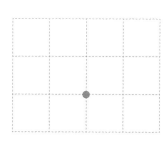

▨ ●에서 출발하여 주어진 방향과 칸 수만큼 선을 긋고 도착한 곳에 ●표 하세요.

① 아래로 1칸

② 오른쪽으로 3칸

③ 위로 2칸

① 오른쪽으로 3칸

② 위로 2칸

③ 왼쪽으로 2칸

① 위로 2칸

② 오른쪽으로 4칸

③ 아래로 1칸

① 아래로 2칸

② 왼쪽으로 1칸

③ 위로 2칸

보물 찾기

민서, 하준, 재아 중에서 한 친구가 자신이 있는 칸에서 주어진 만큼 움직여 보물이 있는 칸에 도착했습니다. 보물을 찾은 친구는 누구일까요?

보물을 찾은 친구: ☐

3 주차

기준과 순서

■ 순서에 알맞게 이어 보세요.

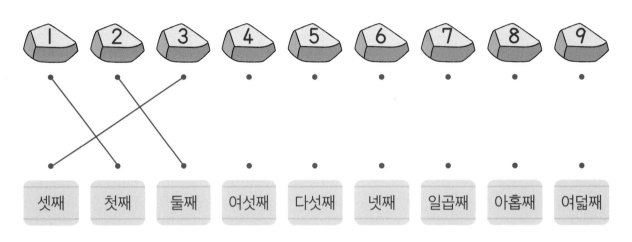

셋째　넷째　첫째　둘째　다섯째　아홉째　여덟째　일곱째　여섯째

9까지의 수로 순서를 나타낼 때는 첫째, 둘째, 셋째……라고 읽습니다.

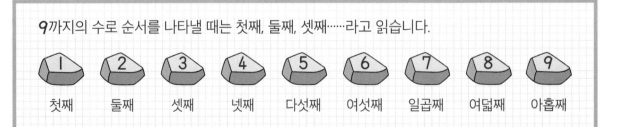

첫째　둘째　셋째　넷째　다섯째　여섯째　일곱째　여덟째　아홉째

■ 순서에 알맞은 돌에 색칠해 보세요.

| 셋째 |
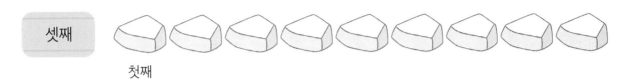
첫째

| 일곱째 |

첫째

| 넷째 |
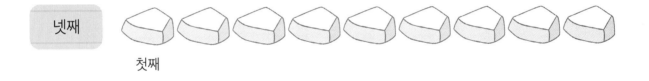
첫째

| 아홉째 |
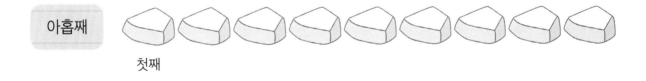
첫째

| 여섯째 |
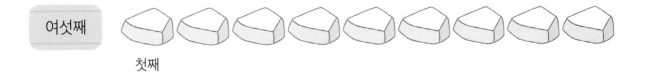
첫째

위와 아래

순서에 알맞은 ⬭을 색칠해 보세요.

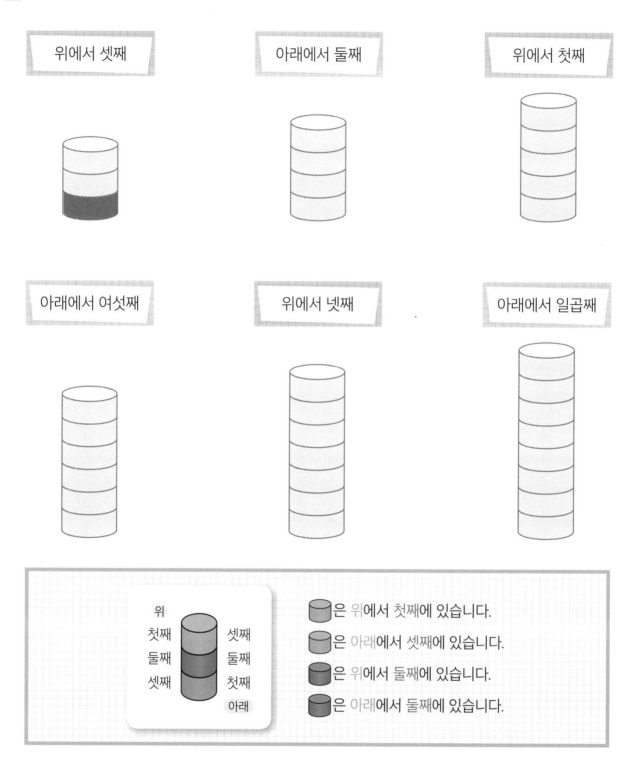

위에서 셋째

아래에서 둘째

위에서 첫째

아래에서 여섯째

위에서 넷째

아래에서 일곱째

위
첫째   셋째
둘째   둘째
셋째   첫째
아래

⬭은 위에서 첫째에 있습니다.

⬭은 아래에서 셋째에 있습니다.

⬭은 위에서 둘째에 있습니다.

⬭은 아래에서 둘째에 있습니다.

■ 알맞게 이어 보세요.

위에서 셋째	•
아래에서 첫째	•
위에서 넷째	•

아래에서 다섯째	•
위에서 여섯째	•
아래에서 여덟째	•

앞과 뒤

🔹 순서에 알맞은 동물에 ◯표 하세요.

앞에서 둘째	

뒤에서 넷째	

앞에서 여섯째	

뒤에서 다섯째	

은 앞에서 첫째에 있습니다.

은 뒤에서 셋째에 있습니다.

은 앞에서 둘째에 있습니다.

은 뒤에서 둘째에 있습니다.

앞 첫째 둘째 셋째

셋째 둘째 첫째 뒤

알맞게 이어 보세요.

> 앞에서 둘째

> 뒤에서 넷째

> 앞에서 다섯째

> 뒤에서 셋째

> 앞에서 아홉째

> 뒤에서 일곱째

순서에 알맞은 깃발을 색칠해 보세요.

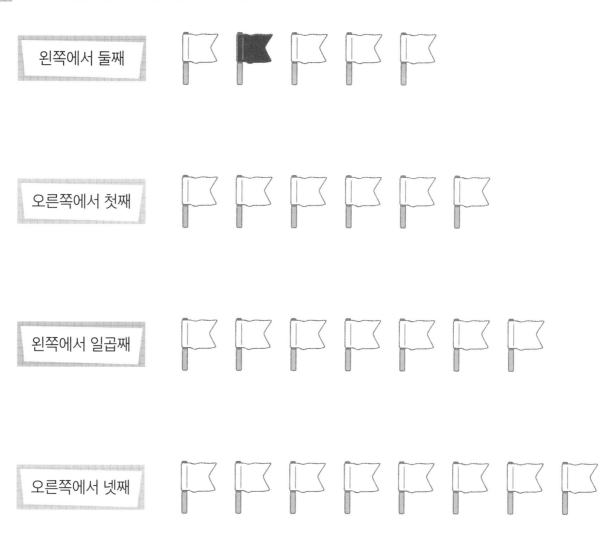

왼쪽에서 둘째

오른쪽에서 첫째

왼쪽에서 일곱째

오른쪽에서 넷째

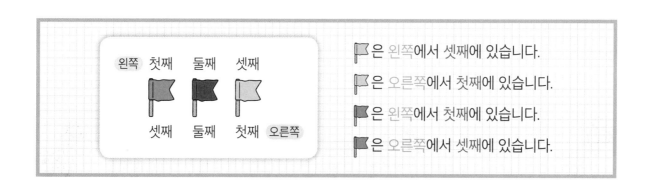

왼쪽 첫째 둘째 셋째

셋째 둘째 첫째 오른쪽

은 왼쪽에서 셋째에 있습니다.

은 오른쪽에서 첫째에 있습니다.

은 왼쪽에서 첫째에 있습니다.

은 오른쪽에서 셋째에 있습니다.

📘 알맞게 이어 보세요.

| 왼쪽에서 셋째 | 오른쪽에서 첫째 | 왼쪽에서 다섯째 |

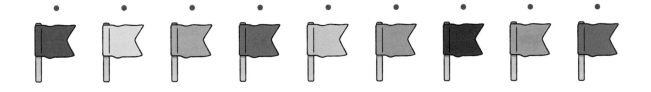

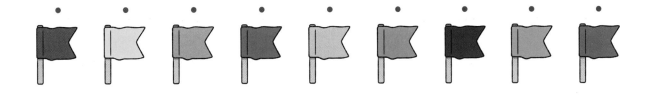

| 오른쪽에서 여섯째 | 왼쪽에서 여덟째 | 오른쪽에서 넷째 |

5일차 두 가지 기준

■ 순서에 알맞은 책상을 찾아 ○표 하세요.

왼쪽에서 둘째, 앞에서 첫째

앞에서 셋째, 오른쪽에서 둘째

오른쪽에서 넷째, 뒤에서 둘째

뒤에서 첫째, 왼쪽에서 셋째

친구들의 책상 위치를 설명하고 있습니다. 알맞은 말에 ◯ 표 하세요.

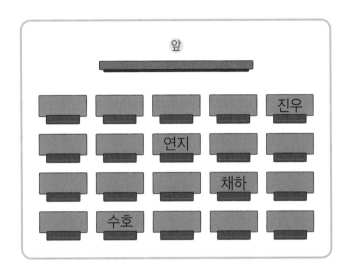

연지 앞에서 (첫째 , 둘째), 왼쪽에서 (셋째 , 넷째)에 있습니다.

진우 뒤에서 (첫째 , 넷째), 오른쪽에서 (첫째 , 다섯째)에 있습니다.

수호 (앞 , 뒤)에서 첫째, (왼쪽 , 오른쪽)에서 넷째에 있습니다.

채하 (앞 , 뒤)에서 셋째, (왼쪽 , 오른쪽)에서 둘째에 있습니다.

책상의 위치

현수가 자신의 책상 위치를 여러 가지 방법으로 말하고 있습니다. 빈칸에 순서를 나타내는 말을 알맞게 써넣으세요.

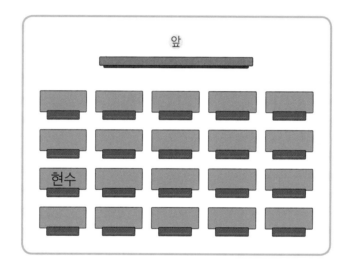

내 책상은 앞에서 [   ]에 있고

뒤에서 [   ]에 있어.

왼쪽에서 [   ]에 있으니까

오른쪽에서는 [   ]에 있어.

4 주차

순서 추리

■ 두 깃발 사이에 있는 깃발의 수를 세어 빈칸에 써넣으세요.

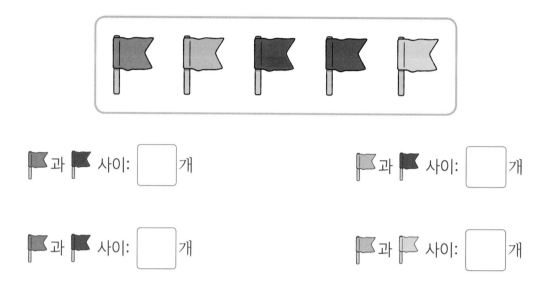

과 사이: ☐ 개   과 사이: ☐ 개

과 사이: ☐ 개   과 사이: ☐ 개

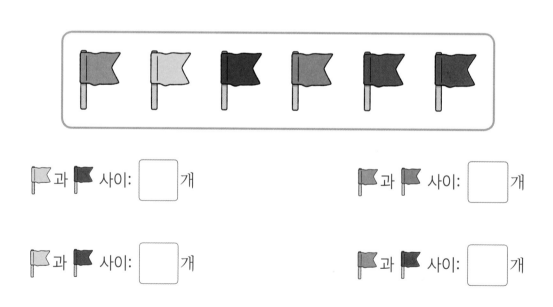

과 사이: ☐ 개   과 사이: ☐ 개

과 사이: ☐ 개   과 사이: ☐ 개

■ 빈칸에 알맞은 수를 써넣으세요.

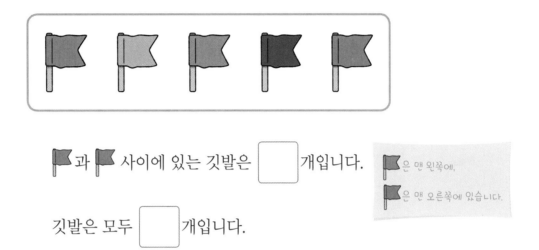

과 사이에 있는 깃발은 [ ] 개입니다.

깃발은 모두 [ ] 개입니다.

은 맨 왼쪽에,

은 맨 오른쪽에 있습니다.

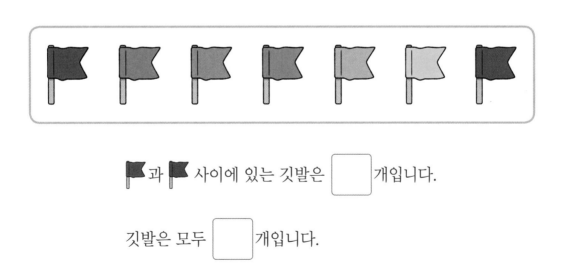

과 사이에 있는 깃발은 [ ] 개입니다.

깃발은 모두 [ ] 개입니다.

알맞게 이어 보세요.

왼쪽에서 둘째 · · 오른쪽에서 넷째

왼쪽에서 여섯째 · · 오른쪽에서 셋째

왼쪽에서 넷째 · · 오른쪽에서 다섯째

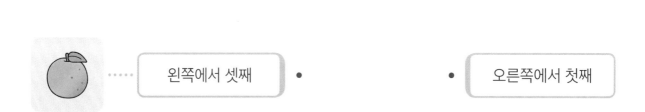

왼쪽에서 셋째 · · 오른쪽에서 첫째

■ 과일의 순서를 바르게 말한 것에 모두 ○표 하세요.

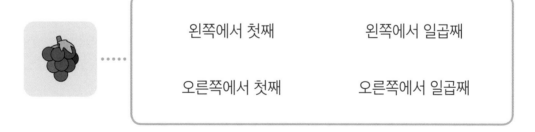

7개

왼쪽에서 둘째		오른쪽에서 다섯째
왼쪽에서 셋째		오른쪽에서 넷째

왼쪽에서 첫째		왼쪽에서 일곱째
오른쪽에서 첫째		오른쪽에서 일곱째

오른쪽에서 셋째		왼쪽에서 다섯째
왼쪽에서 여섯째		오른쪽에서 둘째

■ 동물들이 달리고 있습니다. 알맞게 이어 보세요.

　　앞에 1마리　●　　　●　뒤에 2마리

　　앞에 3마리　●　　　●　뒤에 4마리

　　앞에 아무도 없습니다.　●　　　●　뒤에 아무도 없습니다.

　　앞에 5마리　●　　　●　뒤에 5마리

■ 동물들이 달리고 있는 순서를 바르게 말한 것에 모두 ○표 하세요.

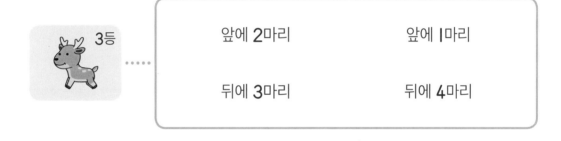

앞에 2마리　　　　앞에 1마리

뒤에 3마리　　　　뒤에 4마리

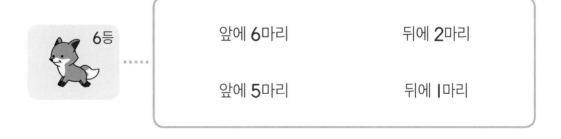

앞에 6마리　　　　뒤에 2마리

앞에 5마리　　　　뒤에 1마리

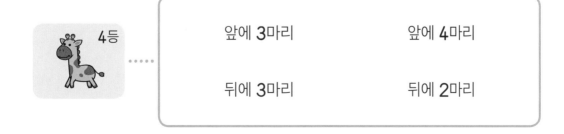

앞에 3마리　　　　앞에 4마리

뒤에 3마리　　　　뒤에 2마리

◼︎ 물음에 답하세요.

6명이 줄을 서 있습니다. 앞에서 둘째에 서 있는 친구와 앞에서 넷째에 서 있는 친구 사이에는 몇 명이 서 있을까요?

(   )명

7명이 달리기를 하고 있습니다. 뒤에서 다섯째로 달리는 친구와 뒤에서 첫째로 달리는 친구 사이에는 몇 명이 달리고 있을까요?

(   )명

수아는 앞에서 첫째, 성진이는 뒤에서 첫째에 서 있고, 수아와 성진이 사이에는 3명이 서 있습니다. 줄을 서 있는 사람은 모두 몇 명일까요?

(   )명

📓물음에 답하세요.

4명이 줄을 서 있습니다. 민호가 앞에서 둘째에 서 있다면 뒤에서는 몇째에 서 있을까요?

(   )

구슬 6개를 옆으로 나란히 늘어놓았습니다. 왼쪽에서 셋째에 있는 구슬은 오른쪽에서 몇째에 있을까요?

(   )

계산대 앞에 7명이 줄을 서 있습니다. 선우 뒤에 1명이 있다면 선우는 앞에서 몇째에 있을까요?

(   )

■ 물음에 답하세요.

> 지유는 앞에서 첫째, 뒤에서 넷째로 달리고 있습니다. 달리기를 하는 사람은 모두 몇 명일까요?

(   )명

> 동물들이 줄을 서 있습니다. 토끼가 앞에서 둘째, 뒤에서 다섯째에 서 있다면 줄을 서 있는 동물은 모두 몇 마리일까요?

(   )마리

> 책을 한 줄로 높이 쌓았습니다. 수학책이 위에서 셋째, 아래에서 셋째에 있다면 책을 모두 몇 권 쌓았을까요?

(   )권

■ 물음에 답하세요.

> 시윤이 앞에는 **3**명, 시윤이 뒤에는 **2**명이 서 있습니다. 줄을 서 있는 사람은 모두 몇 명일까요?

( )명

> 민재 앞에는 **4**명이 달리고 있고 민재 뒤에는 아무도 없습니다. 달리기를 하는 사람은 모두 몇 명일까요?

( )명

> 서은이는 **3**등으로 달리고 있고 서은이 뒤에는 **4**명이 달리고 있습니다. 달리기를 하는 사람은 모두 몇 명일까요?

( )명

1등은 누구일까요?

말, 사슴, 코끼리, 기린이 달리기 시합을 했습니다. 동물들이 하는 말을 보고
1등을 한 동물에 ◯표 하세요.

나는 1등이 아니야.

나는 뒤에서 첫째로
들어 왔어.

내 뒤에 2마리가
들어 왔어.

 는 나보다
늦게 들어 왔어.

링크 위치 찾기

알맞게 이어 보세요.

왼쪽에서 셋째	•	•	
바로 왼쪽	•	•	
오른쪽에서 둘째	•	•	

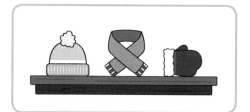

바로 왼쪽	•	•	
바로 오른쪽	•	•	
왼쪽에서 둘째	•	•	

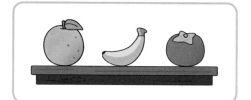

맨 오른쪽	•	•	
와 사이	•	•	
맨 왼쪽	•	•	

알맞게 이어 보세요.

■ 올바른 말에 ○표, 틀린 말에 ✕표 하세요.

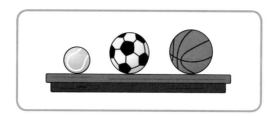

은 오른쪽에서 둘째에 있습니다. .... (　　　)

은 맨 왼쪽에 있습니다. .... (　　　)

바로 오른쪽에 이 있습니다. .... (　　　)

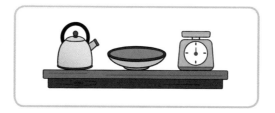

바로 오른쪽에 가 있습니다. .... (　　　)

은 왼쪽에서 첫째에 있습니다. .... (　　　)

와 사이에 가 있습니다. .... (　　　)

올바른 말에 ◯표, 틀린 말에 ✕표 하세요.

🎧는 위에서 셋째에 있습니다. ⋯⋯⋯⋯⋯ (   )

🧢는 아래에서 넷째에 있습니다. ⋯⋯⋯⋯ (   )

🧢와 🎧 사이에 🧤이 있습니다. ⋯⋯⋯⋯ (   )

🍎는 맨 위에 있습니다. ⋯⋯⋯⋯⋯⋯⋯ (   )

🍇 바로 아래에 🍎가 있습니다. ⋯⋯⋯⋯ (   )

🍎 바로 위에 🍎가 있습니다. ⋯⋯⋯⋯⋯ (   )

물건의 위치

◤ 설명을 보고 알맞게 이어 보세요.

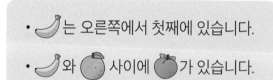

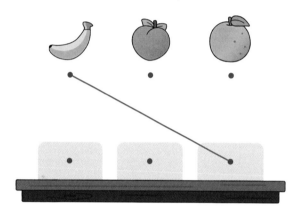

◢ 설명을 보고 알맞게 이어 보세요.

- 🍲는 위에서 둘째에 있습니다.

- 🥣는 맨 아래에 있습니다.

- 🍵은 맨 위에 있습니다.

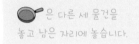은 다른 세 물건을
놓고 남은 자리에 놓습니다.

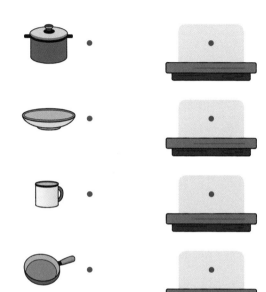

- 🧦 바로 위에 🧢가 있습니다.

- 🧦 바로 아래에 🧣가 있습니다.

- 🧤은 아래에서 첫째에 있습니다.

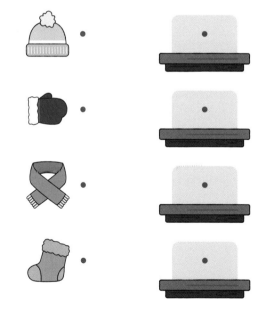

memo

형성평가

1 바로 앞에 있는 동물에 ◯표 하세요.

2 빈칸에 순서를 나타내는 말을 알맞게 써넣으세요.

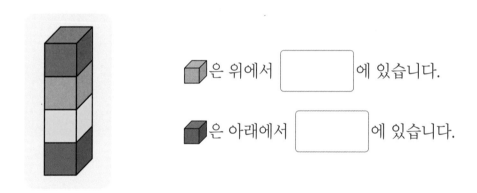

◻은 위에서 [   ]에 있습니다.

◻은 아래에서 [   ]에 있습니다.

3 오른쪽에서 넷째에 있는 나무에 ◯표 하세요.

4 사슴은 2등으로 달리고 있고, 사슴 바로 뒤에 여우가 달리고 있습니다. 여우는 몇 등으로 달리고 있을까요?

(　　　　)등

5 ●을 주어진 방향과 칸 수만큼 순서대로 이동한 칸에 ○표 하세요.

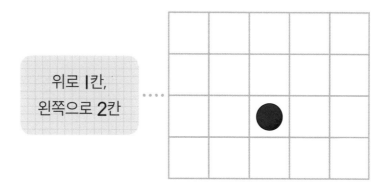

위로 1칸,
왼쪽으로 2칸

6 버스정류장에 사람들이 줄을 서 있습니다. 지연이는 앞에서 다섯째, 뒤에서 둘째에 서 있다면 줄을 서 있는 사람은 모두 몇 명일까요?

(　　　　)명

1 와 사이에 있는 과일에 ◯표 하세요.

2 ●을 주어진 방향과 칸 수만큼 이동한 칸에 ◯표 하세요.

| 아래로 2칸 | 오른쪽으로 1칸 |

3 동물들이 달리기를 하고 있습니다. 양 앞에 4마리가 달리고 있다면 양은 몇 등으로 달리고 있을까요?

(   )등

4 빈칸에 순서를 나타내는 말을 알맞게 써넣으세요.

은 왼쪽에서 [   ], 오른쪽에서 [   ]에 있습니다.

5 지수의 책상을 찾아 ○표 하세요.

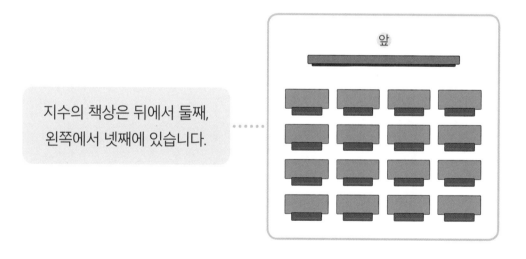

지수의 책상은 뒤에서 둘째,
왼쪽에서 넷째에 있습니다.

6 8명이 달리기를 하고 있습니다. 주안이가 앞에서 셋째로 달리고 있다면 뒤에서는
몇째로 달리고 있을까요?

(   )

memo

초등 수학 핵심파트 집중 완성

교과특강

정답

7세~초1

P2

방향과 순서

사고력
문제해결력

측정 · 규칙성
자료와 가능성

에듀히어로
Edu HERO

정답

....

P2

방향과 순서

정답

1주차: 방향

1일차 위와 아래

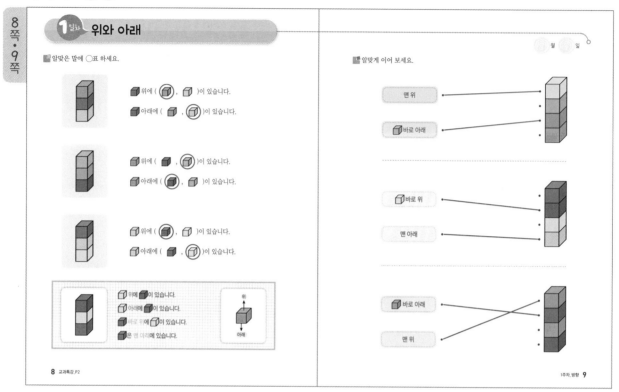

2일차 앞과 뒤

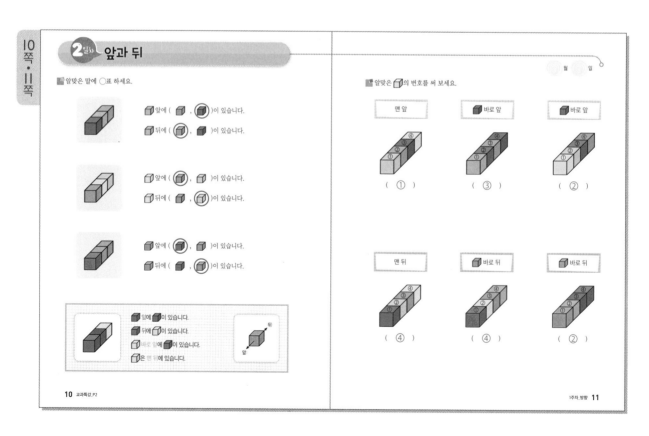

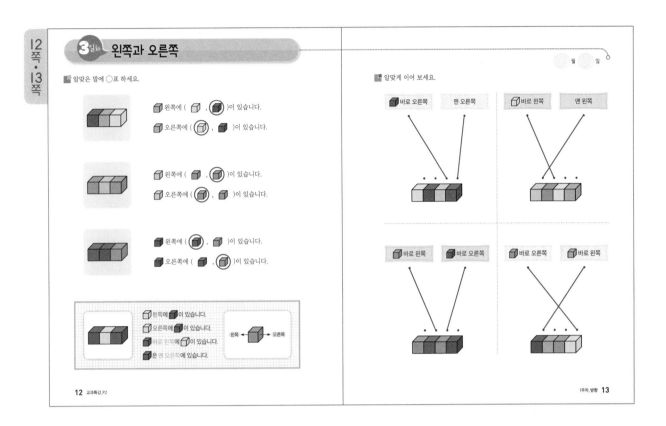

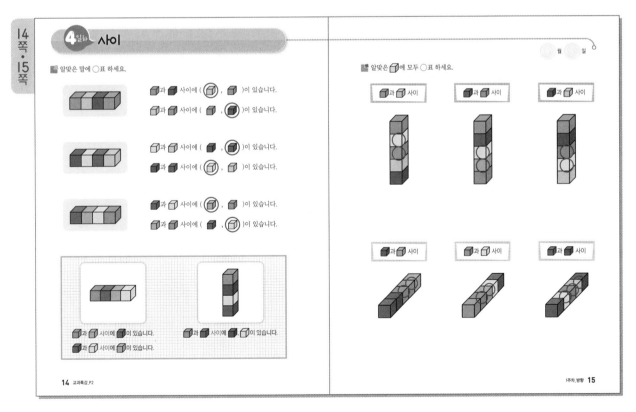

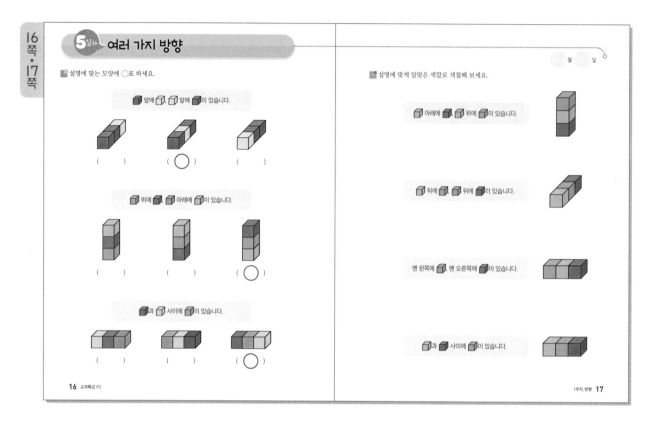

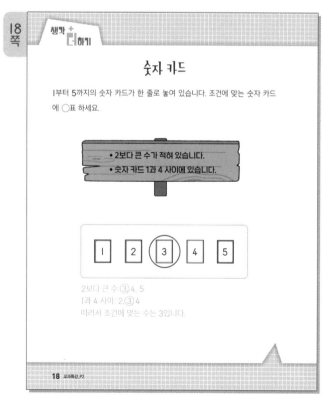

2주차: 방향과 이동

1일차 위와 아래

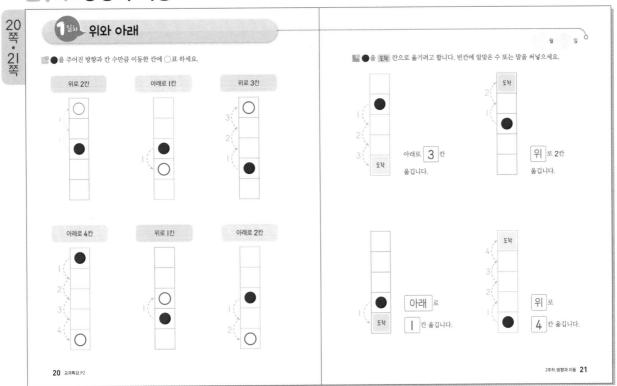

2일차 왼쪽과 오른쪽

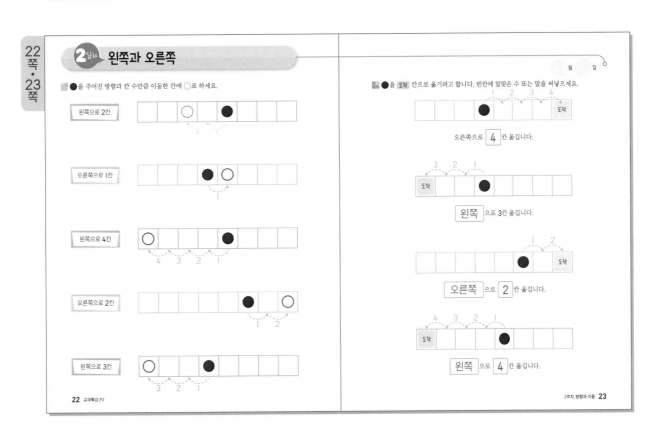

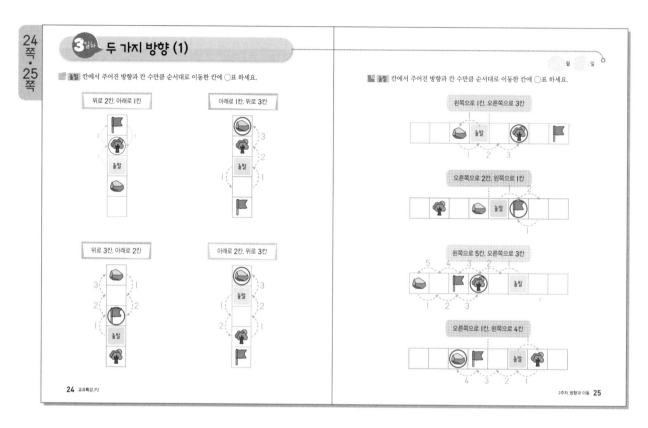

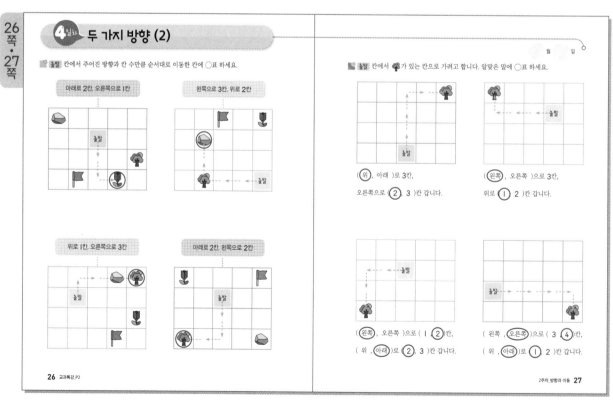

5일차 길 그리기

●에서 출발하여 주어진 방향과 칸 수만큼 선을 긋고 도착한 곳에 ● 표 하세요.

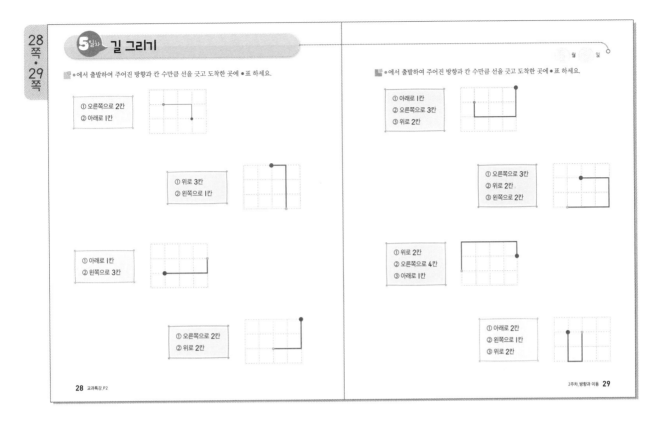

① 오른쪽으로 2칸
② 아래로 1칸

① 위로 3칸
② 왼쪽으로 1칸

① 아래로 1칸
② 왼쪽으로 3칸

① 오른쪽으로 2칸
② 위로 2칸

●에서 출발하여 주어진 방향과 칸 수만큼 선을 긋고 도착한 곳에 ● 표 하세요.

① 아래로 1칸
② 오른쪽으로 3칸
③ 위로 2칸

① 오른쪽으로 3칸
② 위로 2칸
③ 왼쪽으로 2칸

① 위로 2칸
② 오른쪽으로 4칸
③ 아래로 1칸

① 아래로 2칸
② 왼쪽으로 1칸
③ 위로 2칸

생각 + 더하기

보물 찾기

민서, 하준, 재아 중에서 한 친구가 자신이 있는 칸에서 주어진 만큼 움직여 보물이 있는 칸에 도착했습니다. 보물을 찾은 친구는 누구일까요?

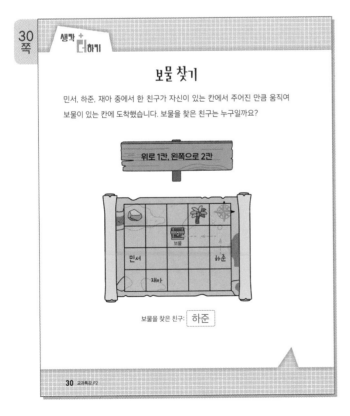

위로 1칸, 왼쪽으로 2칸

보물을 찾은 친구: 하준

정답

3주차: 기준과 순서

1일차 순서수

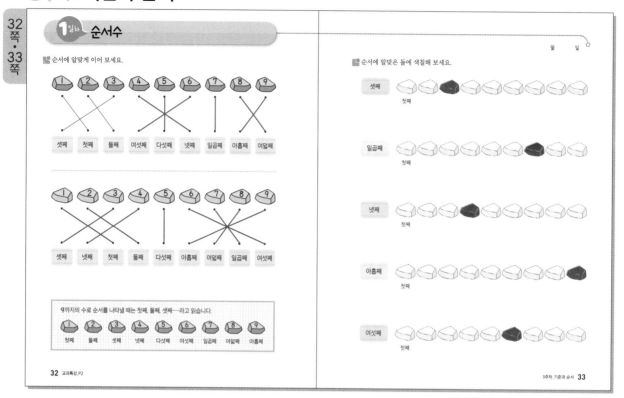

월 일

9까지의 수로 순서를 나타낼 때는 첫째, 둘째, 셋째……라고 읽습니다.

2일차 위와 아래

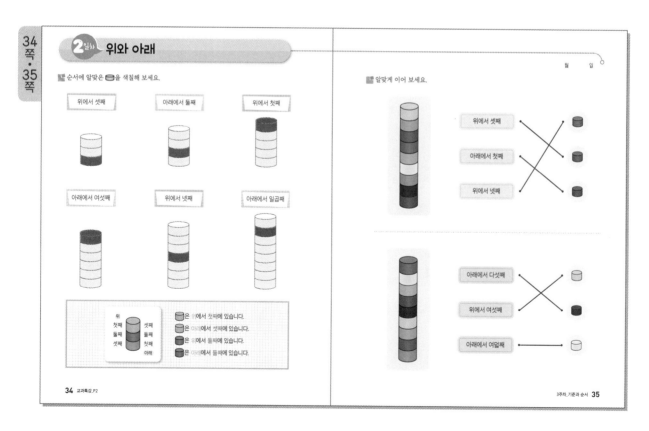

월 일

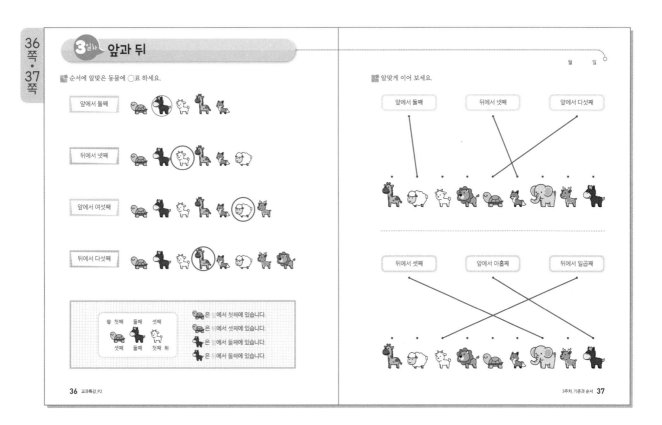

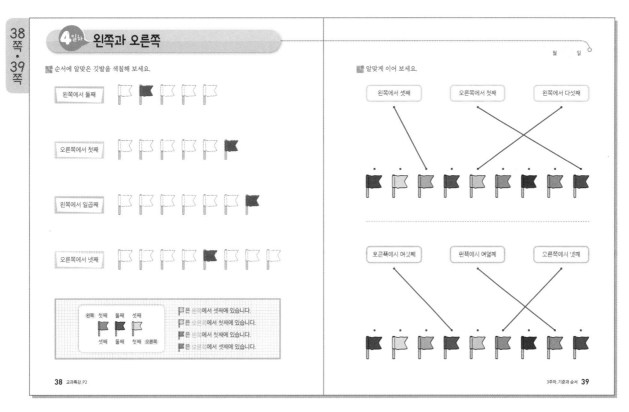

정답 **9**

정답

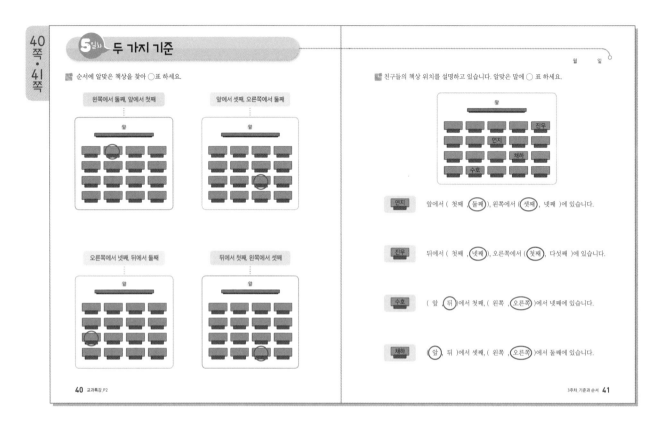

5일차 두 가지 기준

순서에 알맞은 책상을 찾아 ○표 하세요.

친구들의 책상 위치를 설명하고 있습니다. 알맞은 말에 ○표 하세요.

월 일

연지 : 앞에서 (첫째 , 둘째), 왼쪽에서 (셋째 , 넷째)에 있습니다.

진우 : 뒤에서 (첫째 , 넷째), 오른쪽에서 (첫째 , 다섯째)에 있습니다.

수호 : (앞 , 뒤)에서 첫째, (왼쪽 , 오른쪽)에서 넷째에 있습니다.

채하 : (앞 , 뒤)에서 셋째, (왼쪽 , 오른쪽)에서 둘째에 있습니다.

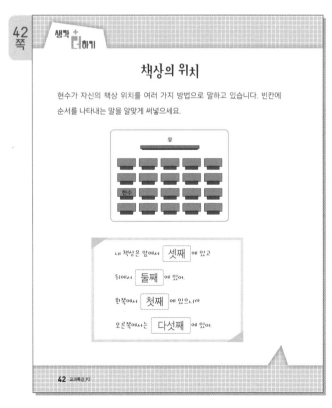

생각 + 더하기

책상의 위치

현수가 자신의 책상 위치를 여러 가지 방법으로 말하고 있습니다. 빈칸에
순서를 나타내는 말을 알맞게 써넣으세요.

내 책상은 앞에서 셋째 에 있고

뒤에서 둘째 에 있어.

왼쪽에서 첫째 에 있으니까

오른쪽에서는 다섯째 에 있어.

4주차: 순서 추리

1일차 사이에 몇 개

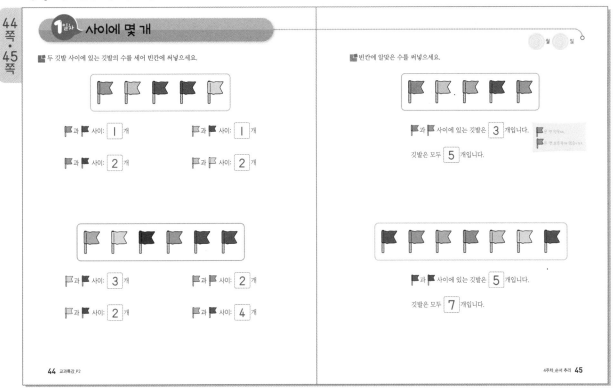

두 깃발 사이에 있는 깃발의 수를 세어 빈칸에 써넣으세요.

🚩과 🚩 사이: 1 개   🚩과 🚩 사이: 1 개

🚩과 🚩 사이: 2 개   🚩과 🚩 사이: 2 개

🚩과 🚩 사이: 3 개   🚩과 🚩 사이: 2 개

🚩과 🚩 사이: 2 개   🚩과 🚩 사이: 4 개

빈칸에 알맞은 수를 써넣으세요.

🚩과 🚩 사이에 있는 깃발은 3 개입니다.

깃발은 모두 5 개입니다.

🚩과 🚩 사이에 있는 깃발은 5 개입니다.

깃발은 모두 7 개입니다.

2일차 과일의 순서

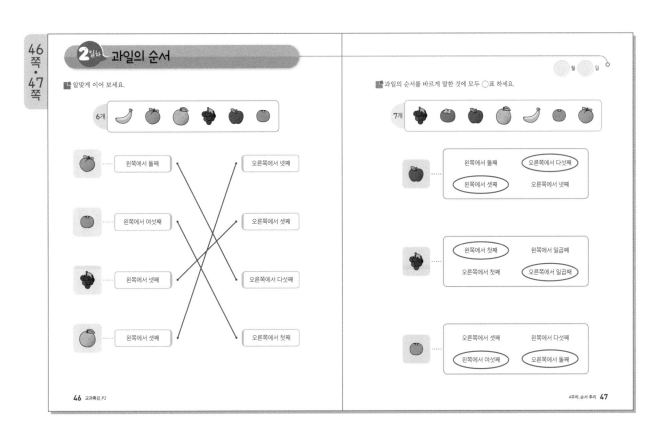

알맞게 이어 보세요.

6개

왼쪽에서 둘째 ──── 오른쪽에서 넷째

왼쪽에서 여섯째 ──── 오른쪽에서 셋째

왼쪽에서 넷째 ──── 오른쪽에서 다섯째

왼쪽에서 셋째 ──── 오른쪽에서 첫째

과일의 순서를 바르게 말한 것에 모두 ○표 하세요.

7개

왼쪽에서 둘째   (오른쪽에서 다섯째)
(왼쪽에서 셋째)   오른쪽에서 넷째

(왼쪽에서 첫째)   왼쪽에서 일곱째
오른쪽에서 첫째   (오른쪽에서 일곱째)

오른쪽에서 셋째   왼쪽에서 다섯째
(왼쪽에서 여섯째)   (오른쪽에서 둘째)

48쪽·49쪽

3일차 동물의 순서

■ 동물들이 달리고 있습니다. 알맞게 이어 보세요.

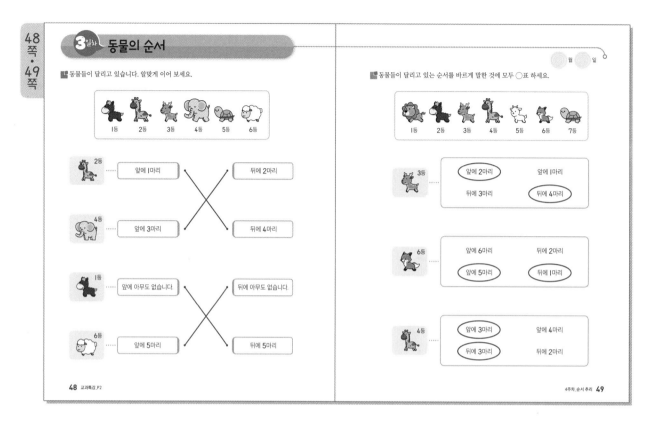

■ 동물들이 달리고 있는 순서를 바르게 말한 것에 모두 ○표 하세요.

월 일

50쪽·51쪽

4일차 순서 추리 (1)

■ 물음에 답하세요.

월 일

■ 물음에 답하세요.

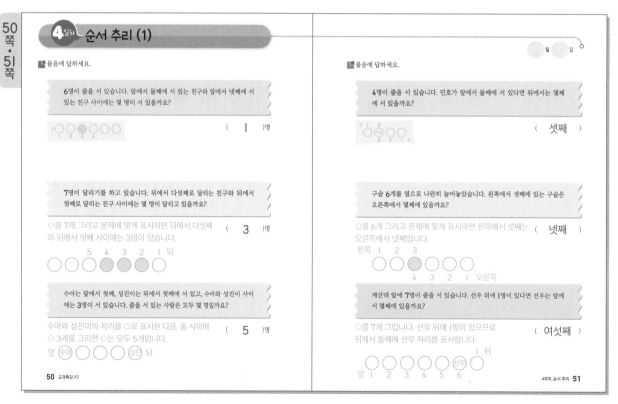

5일차 **순서 추리 (2)**

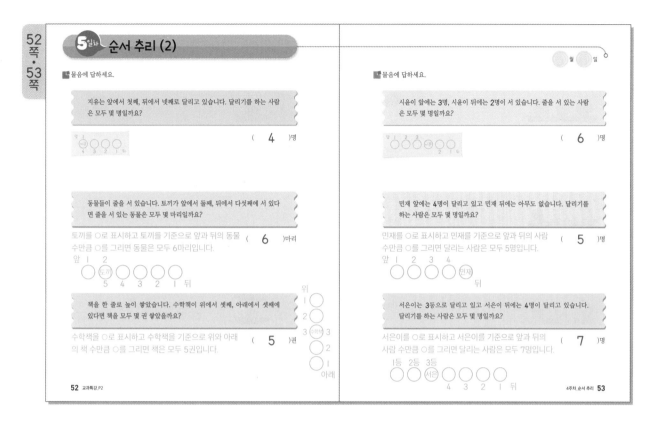

물음에 답하세요.

지유는 앞에서 첫째, 뒤에서 넷째로 달리고 있습니다. 달리기를 하는 사람은 모두 몇 명일까요?

(4)명

동물들이 줄을 서 있습니다. 토끼가 앞에서 둘째, 뒤에서 다섯째에 서 있다면 줄을 서 있는 동물은 모두 몇 마리일까요?

토끼를 ○로 표시하고 토끼를 기준으로 앞과 뒤의 동물 수만큼 ○를 그리면 동물은 모두 6마리입니다. (6)마리

앞 | 2
○ 토끼 ○ ○ ○ ○
5 4 3 2 | 뒤

책을 한 줄로 높이 쌓았습니다. 수학책이 위에서 셋째, 아래에서 셋째에 있다면 책을 모두 몇 권 쌓았을까요?

수학책을 ○로 표시하고 수학책을 기준으로 위와 아래의 책 수만큼 ○를 그리면 책은 모두 5권입니다. (5)권

위
| ○
2 ○
3 수학책 3
○ 2
○ |
아래

물음에 답하세요.

시윤이 앞에는 3명, 시윤이 뒤에는 2명이 서 있습니다. 줄을 서 있는 사람은 모두 몇 명일까요?

(6)명

민재 앞에는 4명이 달리고 있고 민재 뒤에는 아무도 없습니다. 달리기를 하는 사람은 모두 몇 명일까요?

민재를 ○로 표시하고 민재를 기준으로 앞과 뒤의 사람 수만큼 ○를 그리면 달리는 사람은 모두 5명입니다. (5)명

앞 | 2 3 4
○ ○ ○ ○ 민재
뒤

서은이는 3등으로 달리고 있고 서은이 뒤에는 4명이 달리고 있습니다. 달리기를 하는 사람은 모두 몇 명일까요?

서은이를 ○로 표시하고 서은이를 기준으로 앞과 뒤의 사람 수만큼 ○를 그리면 달리는 사람은 모두 7명입니다. (7)명

1등 2등 3등
○ ○ 서은 ○ ○ ○ ○
4 3 2 | 뒤

생각 + 더하기

1등은 누구일까요?

말, 사슴, 코끼리, 기린이 달리기 시합을 했습니다. 동물들이 하는 말을 보고 1등을 한 동물에 ○표 하세요.

나는 1등이 아니야.

나는 뒤에서 첫째로 들어 왔어.

내 뒤에 2마리가 들어 왔어.

○○는 나보다 늦게 들어 왔어.

① 사슴의 말에서 사슴은 4등입니다.
② 코끼리의 말에서 코끼리는 2등입니다.
③ 말의 말에서 말은 3등입니다.
④ 기린의 말에서 기린은 1등입니다.

정답

링크: 위치 찾기

LINK 1 위치 표현하기 (1)

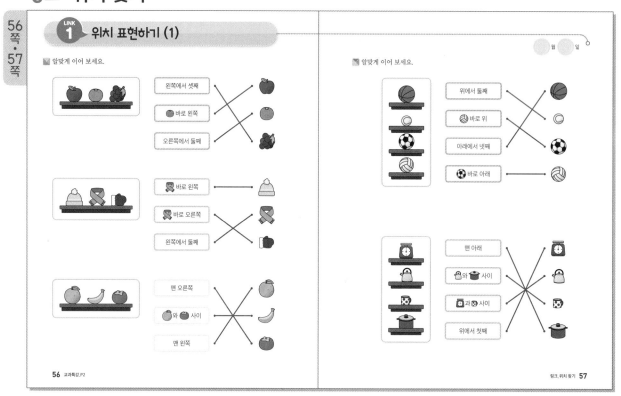

LINK 2 위치 표현하기 (2)

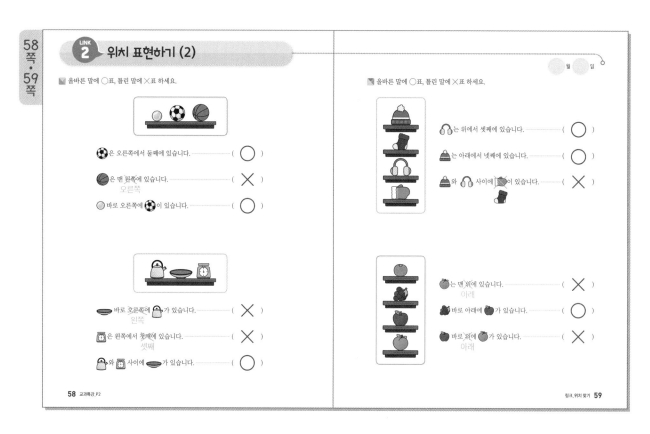

3 물건의 위치

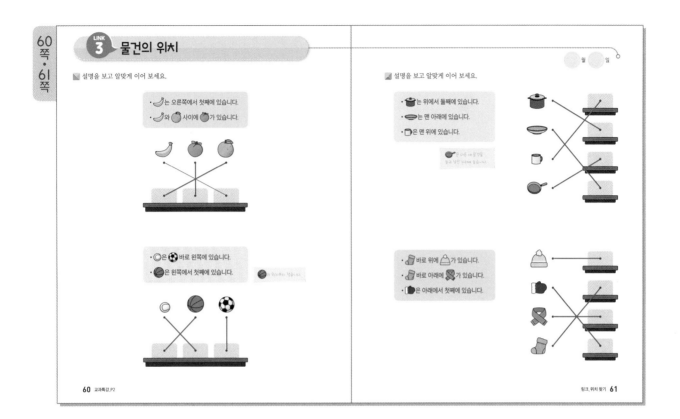

정답

형성평가

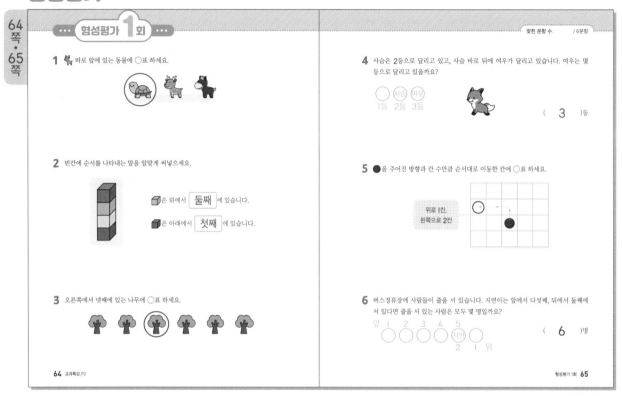

··· 형성평가 1회 ···

맞힌 문항 수: / 6문항

1 바로 앞에 있는 동물에 ◯표 하세요.

2 빈칸에 순서를 나타내는 말을 알맞게 써넣으세요.

⬛은 위에서 **둘째** 에 있습니다.

⬛은 아래에서 **첫째** 에 있습니다.

3 오른쪽에서 넷째에 있는 나무에 ◯표 하세요.

4 사슴은 2등으로 달리고 있고, 사슴 바로 뒤에 여우가 달리고 있습니다. 여우는 몇 등으로 달리고 있을까요?

◯ 사슴 여우
1등 2등 3등

(**3**)등

5 ●을 주어진 방향과 칸 수만큼 순서대로 이동한 칸에 ◯표 하세요.

위로 1칸,
왼쪽으로 2칸

6 버스정류장에 사람들이 줄을 서 있습니다. 지연이는 앞에서 다섯째, 뒤에서 둘째에 서 있다면 줄을 서 있는 사람은 모두 몇 명일까요?

앞 1 2 3 4 5
◯ ◯ ◯ ◯ 지연 ◯
2 1 뒤

(**6**)명

64 교과특강_P2

형성평가 1회 **65**

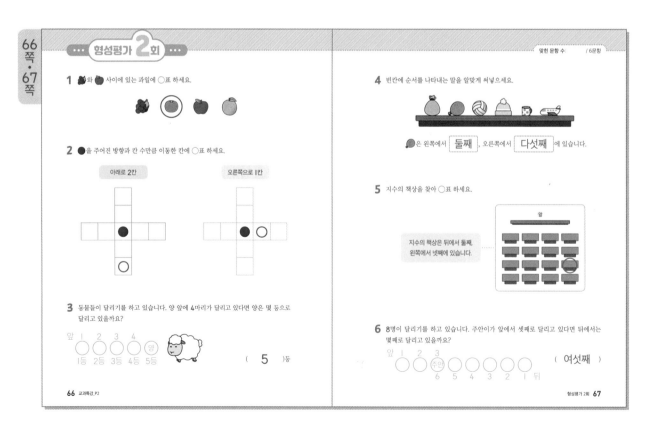

··· 형성평가 2회 ···

맞힌 문항 수: / 6문항

1 🍇와 🍎 사이에 있는 과일에 ◯표 하세요.

2 ●을 주어진 방향과 칸 수만큼 이동한 칸에 ◯표 하세요.

아래로 2칸

오른쪽으로 1칸

3 동물들이 달리기를 하고 있습니다. 양 앞에 4마리가 달리고 있다면 양은 몇 등으로 달리고 있을까요?

앞 1 2 3 4 양
◯ ◯ ◯ ◯
1등 2등 3등 4등 5등

(**5**)등

4 빈칸에 순서를 나타내는 말을 알맞게 써넣으세요.

🎈은 왼쪽에서 **둘째** , 오른쪽에서 **다섯째** 에 있습니다.

5 지수의 책상을 찾아 ◯표 하세요.

지수의 책상은 뒤에서 둘째,
왼쪽에서 넷째에 있습니다.

앞

6 8명이 달리기를 하고 있습니다. 주안이가 앞에서 셋째로 달리고 있다면 뒤에서는 몇째로 달리고 있을까요?

앞 1 2 3
◯ ◯ 주안 ◯ ◯ ◯ ◯ ◯
6 5 4 3 2 1 뒤

(**여섯째**)

66 교과특강_P2

형성평가 2회 **67**

"교과수학을 완성합니다."

수와 도형의 배열에서 규칙을 찾아
사고력을 기릅니다.

양을 측정하고 어림하여
실생활의 수 감각을 기릅니다.

표와 그래프를 해석하여
추론능력을 기릅니다.